제주도 아주망의 소도리

시詩하고
소笑한

전근아

제주도 아주망입니다. 25년 정도 청소년들에게 독서와 글쓰기지도를 하면서 주말에는 생태교육과 세계자연유산 거문오름에서 자연해설자원봉사를 했습니다. 지금도 여전히 더불어 사는 민주시민, 세계시민 교육을 통해 청소년들을 만나고 있습니다.

시시하고 소소한

발 행 | 2024년 08월 01일
저 자 | 전근아
펴낸이 | 한건희
펴낸곳 | 주식회사 부크크
출판사등록 | 2014.07.15.(제2014-16호)
주 소 | 서울특별시 금천구 가산디지털1로 119 SK트윈타워 A동 305호
전 화 | 1670-8316
이메일 | info@bookk.co.kr

ISBN | 979-11-410-9886-5

제주도 아주망의 소도리

시詩하고 笑한

전근아 지음

CONTENT

프롤로그

20대엔 시인을 꿈꿨다. 흉내를 내 보았으나 글자와 글자를 조합한다고 시가 되지 않는다는 것을 알아버렸다. 시를 쓰지 못하는 사람이라는 것을 인정해야 했다.

30대엔 수필 쓰기 동아리 활동을 해보기도 했다. 경험을 녹여 본다고 했으나 솔직해야 한다는 것에 겁이 났다.

40대에 모든 것을 던지고 랭보처럼 떠돌아 볼까 하는 생각도 했었다. 그래서 숲을 싸돌아다녔다.

50대가 되니 모든 일이 시시해졌다. 글을 쓴다는 것도 나를 알려보겠다는 것도 내 삶에 중요한 것이 아니라는 사실이었다. 중요한 건, 내 자신으로 서는 것, 허술하고 별 볼 일 없는 나를 인정하는 것, 그런 나를 사랑해야 한다는 사실이었다.

60대를 맞이한다. 여전히 시시한 삶이다. 하지만 더 사랑할 수 있을 것 같다. 나도, 당신도, 더불어 시와 솔직함도

설거지

설거지하는 것은
밥그릇을 씻는 일이다.
밥그릇 싸움은 그리 잘하면서도
그 흔적을 지우는 일은 왜 그리 귀찮은지

설거지하는 것은
찌개 그릇을 씻는 일이다
기름진 세상에
미끄덩 흘러 들어가고도
부끄러운 줄 모르고
비계를 채웠던 나의 창자를 마주하는 일이다

설거지하는 것은
국그릇을 닦는 일이다
짜고 매운 인간사 후루룩 마시고도
어이쿠 시원하네! 위선 떨던
나를 위로하는 일이다

설거지하는
김치 그릇 나물 접시 간장 종지
하나하나 씻어 말리고 닦아
수챗구멍 뜨거운 물 비워 말려두는 일
내일 다시 밥 먹을 수 있게 준비하는 일
어머니의 기도 같은 일

단풍

가장 붉게 물들어서
가장 곱게 물들어서
떨어지고 싶다는 말들을 하지

제각각
가장에
붉고 곱다는 것에
방점이 있을 테지만

고백인 거지
붉게 물들어서
곱게 물들어서
가장 좋은 날에 떨어지고 싶다는
조금 더 매달리고픈 욕심인 거지

한 생애 붉게 물들어 본 날이
곱게 물들던 날이
몇 날일 건가
단풍을 줍던 손이
흠칫 붉어진다

새벽 3시

내 귀가
팔랑
하고 떨어졌다
바스락
나뭇잎이 되어

지렁이가 지나간다
달팽이가 지나간다
지루한 접촉의 흔적
끈적한 자국만 남았다.

빈 항아리에다 대고 외치는
먼 기억의 아이가 소리를 버리고 달아나 버린다
웅성거리던 군중들도 각기 제 갈 길을 가고

세상의 소리가 탈출하고 있다.

그림자를 찾습니다

가로등 밑을 지나는데

그림자가 보이지 않는다

핸드폰 검색을 해보았는데 없다

주머니 속을 뒤지고

가방 속을 헤집어 보아도 내 그림자는 없다

어디에서 잃어버렸을까?

내가 걸어온 길을 거슬러 간다.

혹시나

잠깐 앉아 있었던 버스정류장에 두었을까?

역시나

사람들에게 물어보지만 듣는 둥 마는 둥 한다

도서관에 가서 내가 펼쳐보았던 책들을 살핀다
신간 책장을 쓱 훑고
100번 심리학 서적에도 없다.
사회문제에 관심이 많으니 300번대에 있을까?
그래도 400번에는 있겠지. 명확히 증명해내니
요즘 그림 보는 것을 좋아하니 600번 칸도
800번에 꽤 머물렀으니 천천히 찾아보아야 한다
시의 은유 속으로 숨었으면 어쩌나?
요즘 시는 난해하여 도무지 해석할 길이 없는 것을
sf 소설 속 문장에 숨어버리면 더욱 곤란하다.
마음이 바쁘다.
누군가 나의 그림자를 대출해 버린 것일까
아니면 누군가 주워서 쓰레기통에 넣어버렸을까

아차

어젯밤 쫓기는 꿈을 꿀 때 떨어뜨린 게 분명하다

혼자 마음이 급해 절뚝이며 따라오는 그림자를 미처
챙기지 못했다.

요즘 부쩍 그림자의 걸음걸이가 절뚝거렸지만 괜찮겠
지 여겼다

왜 느려터졌냐고 성화만 부렸었다.

늦기 전에 그림자 분실신고를 해야겠다.

전봇대에 전단도 붙여야겠지

내 그림자는 디지털의 속도를 싫어했으나

그래도 인스타그램의 도움을 받아볼까?

그림자를 찾습니다

상·하의 검정 옷을 입었고

상체는 짧고 하체는 기형으로 길답니다

오전에는 짧고 오후에는 길어지니 유념해 살펴주세요

건물이나 숲에서는 보이지 않으니 세심히 찾아주세요

꽃집 앞에서 꽃향기를 맡느라 형체가 흐려질 수도

있습니다

나에게는 무엇과도 바꿀 수 없는 소중한 존재입니다

연락해주시면 사례를 후하게 하겠습니다

먹구름 속 소나무

소나무는 먹구름 속에서도

구름을 뚫고 칼끝을 세운다
자꾸만 날아들며 만류하려는 새들
어깨를 흔들어 작은 파도를 일으켜 토닥여 보내고
기다린다.
단칼에 끝낼 시간을

전령이 들고 온 아침 햇빛의 서신은 어렵다 한마디
몰려드는 검은 적들을 혼자 감당해야 한다
이미 늙어버린 몸
함께 죽겠다고 등을 붙이고 적이 오길 기다리는 송악은
그나마 위로다

푸르게 산다는 건 고독의 슬픈 훈장
이유는 없었다. 그저 운명이라 여겼을 뿐
한평생 오직 믿을 수 있는 건 칼 한 자루
스스로 팔을 잘라내며
내공을 키우는 단련만이 해법이었다

나는 안다

빗발치는 화살이 나를 해치는 것이 아니라

내 안의 불안이 나를 쓰러뜨리라는 것을

실패의 죄책감이 패배하게 한다는 것을

결국, 마지막은 나와의 대결이다

엎드려 있던 시간이 공간에 틈을 벌린다

쏟아져 들어오는 색

조짐은 나쁘지 않다

나쁘지 않음이 내 삶의 최대의 행운 아니었던가?

낡아 버린 신발 끈을 다시 묶는다

마지막 나의 혈전을 위해

시시하고 소소한

비스타나무

천년 숲 비자림에는
세상 모든 어미를 닮은 비자나무가 살지
팔 벌려 큰 품을 만들며
엄마 까투리처럼
언제나 푸르게 서 있지
절대 쓰러지지 않을 것처럼
한 번도 아프지 않은 것처럼
비자나무 나무껍질은 코르크층으로 덮어있어.
대못을 박아도 상처 따윈 모를 거라 여기지
비자나무 옹이를 타고
칭얼칭얼 젓 빠는 갓난이끼
홍알홍알 애교부리며 코를 박는 콩짜개덩굴
외롭다고 한 번씩 찾아와 훌쩍대는 일엽초
바짓가랑이 붙들고 늘어지는 송악
메고 업고 끌고
쓰다듬고 보듬어 얼루다

비어버린 젖가슴 들려버린 자궁에

가슴팍 훤하니 구멍 뚫려도

그러려니 그러려니

본디 그런 것이려니

청 비늘을 털어 그늘을 만든다네

남은 진액마저

임금께 바칠 명약을 만들어

그래야 세상이 편안해진다고

자금우 고사리 쐐기풀 품어 안은 채

푸른 힘줄 세우고

겨울 천년 숲을 지킨다네

멍처럼 푸르다네

병실에서

발가락이 가렵다.
다리가 가렵더니
겨드랑이가 근질근질
온몸이 움찔움찔한다
내 몸에 겨울눈이 생기나 보다

나의 겨울 눈은
토끼 귀를 가졌을까
곰 발바닥을 들었을까?
주인을 닮았으면
있는 듯 없는 듯 엎드려 있으려나

아무렴 괜찮다

올 겨울 폭설 견디고

잎눈 틔우고

꽃눈 틔워

비록 큰 꽃송이는 아닐지라도

제 영혼에 어울리는 어여쁜 꽃 피어날 테니

슬픔을 맛본 자의 설명문

슬픔을 맛본 자가 말하길

슬픔은

어디에 담기느냐에 따라 맛이 달라진다

슬픔은

된장국에

찻잔에

술잔에 담긴다

된장국에 담긴 슬픔은 적당히 건강을 유지해 준다

찻잔에 담긴 슬픔은 쌉싸름하니 낭만적이긴 하나

우울해질 위험이 있다.

술잔에 담긴 슬픔은 오히려 달다. 한순간 슬픔이 사

라졌다고 믿어질 만큼 위약 효과 커서 후회를 불러올

가능성이 농후하다.

슬픔은 담기는 용기가 작아질수록 진해진다

슬픔이 40도 알코올로 변하면 비상등을 켜두어야 한다

슬픔은

숨는 것을 좋아해 자신의 모습을 보여주지 않으려 한다

예쁜 용기에 숨어버리면 찾아내기 힘들다

화병에 담긴 슬픔은 자신을 부정하며 웃음 짓는다

많은 슬픔이 화병 속에 숨어서 썩어간다

화병 속에서 깊이를 모르는 검은빛의 웅덩이가 되어

발목이 잠기고 허리와 가슴이 잠긴다

어느 날 슬픔이 공사장 커다란 원통형 물통에 담길 때도 있다. 나의 슬픔이 많은 사람에게 공유되어 타인의 눈높이로 비었느니 찼느니 가늠해버리는 일도 생긴다

별일 아니라고 걷어차 버리는

최악의 상황을 맞이하기도 한다

타인의 슬픔을

이리 찢고 저리 찢고
밟고
뭉개서 없애버리려 하는 사람들이 나타나기도 한다
그럴수록
슬픔은 세포분열을 하고
변이를 일으킨다

원래 슬픔은
맑아서
가벼워서
스스로 정화하고 소멸하려는 본성이 있다.
슬픔을
온
전
히
그리고 깊이

꼭
껴
안
아
주
면
저 홀로 날아간다

순수한 하강의 반란

끝없이 아래로 향하고는

말없이 자취를 없애는

그래서 누군가는 너를 얼-음이라 했나 보다

때론 가로의 꿈을 꾸었을까?

직립을 포기하고 사선으로 흐르다

수목 등줄기에 스며드는 걸 보면

그래서 누군가는 너를 서-ㄹ이라 했나 보다

저 혼자 바람결 따라 나비인 양

드넓은 대지에

구름처럼 흐르다 날개 펼치고 그대로

그래서 누군가는 너를 누-ㄴ이라 했나 보다

골절된 날개를 끌고

스스로 찾아 헤매다가

불빛만 보면 제집이라고

달려들어 창문을 두드리는 눈발들 속에서

가장 너 다운 너를 본다

꽃아

동백동산 가는 길

겨울이 오면 동백동산으로 가자던

조각난 창틀에 걸린
목이 쉰 바람이 담 구멍 사이를 비집고 들면
늙은 송악의 손등 힘줄이 하얗게 서고
강아지풀 마른기침을 하며 몸을 눕힌다.

무너진 집 자리 위로
헝클어진 풀들이 자란다.
웃자라는 기다림은 상한선이 없고
눈치 없이 팔랑대는 12월의 시간은
한 움큼의 빛을 쥐고 소심하게 웃는다.

입이 무거운 팽나무 끝내 잡아떼어도
남오미자 잎줄기를 뻗어 너의 발자국을 가리킨다
겨울 없다던 초록 숲에
겨울딸기는 왜 그리도 붉게도 익는지

겨울이 오면 동백동산으로 가자
초록 물에 흠뻑 몸 적셔 두고
레이저를 열어놓고 수색하는 햇빛마저도

우릴 찾지 못하게

.

폭낭

아이고 야게여

이제랑 내려오믄 안 돼 크냐

푸른 꿈을 쫓는 아들은

아멩 골아도 귓등으로도 안들엄져

무신 벨을 그자락 찾암 신고라

진 팔로 칭칭

지 어멍 목 졸라지는 줄도 몰람져

아이고 등꽝이여

보리 타작허난 깨 불리곡

콩 털어야 허곡 지슬도 케 살거 아니가

밭디만 밭디만 눈이 오나 비가 오나

돌밭디 엎어정 하간 데가 옹이 저서

내 몸이 돌이 되는 줄도 몰랐져

아이고 종애여

이거 폴민 하르방 상에 괴기 혼 점 더 올릴 거 아니가

구덕에 솔문 고사리 고득 지엉 버스에 올랑

되와진 다리로 오일장으로 공판장으로

우족 고치 튀어나온 무릎허영

무사 쇠 추룩 일만 허여졈디사

이래오라 이래오라 내 손지야

할망 무릎팍에 안지라

오늘랑 자청비 들으크냐 가믄장애기 들으크냐

자청비는 여자라도 남자보다 모든 면에서

잘 낫주만은

제주 백성 멕여 살리는 농사신이 되어시녜

가믄장애긴 나 배또롱아래 선그믓 덕에 산댄 허멍

지 심만으로 거부가 되엉

거지 잔치도 열곡 눈 먼 부모도 깨우치게 허였져

오늘도 폭낭은 굽은 몸을 데리고 마을 어귀에 앉아
까마귀를 쫓는다
우리라도 여기 앉아 있어사
동네 구진 일 막을 거 아니가
한다

눈 오는 날에

나 어릴 적

눈 오는 날
얼음에 갇힌 항아리 물 꺼내
커다란 무쇠솥 가득
무 배추 넣고
콩가루 풀어 놓으면
어머니의 구름 국 몽실대는 아침을 맞지

마당 눈 쓸고 오신 아버지

화롯불에 잉걸 담아

노란 냄비 올리고

보글보글 된장 끓이다

눈 속에 아직 푸른 마늘잎 송송 썰어 넣으면

구수한 냄새 온 마을로 퍼져나가지

눈이 오면

제일 신나는 건 강아지와 아이들

비닐포대 들고 동산으로 언덕으로

엉덩이 다 젖도록

썰매 타고 내려오지

싫증 나면 고드름 베어 물다 칼싸움하다

그마저 지겨워지면 이집 저집 항아리에 고인 얼음

보리낭 빨대로 호호 불어 빨랫줄에 매달아 두곤

마주 보고 킬킬댔지!

눈이 오면 먹고 싶은 것도 많아서
쌀독에 숨겨두었던 달걀 꺼내
아버지 몫으로 달걀찜하고
행여 부숴질라 애지중지 달걀껍데기에
쌀 씻어 넣어 아궁이 남은 재에 올려두면
우리 엄마 특허 달걀껍질솥밥이 되지

눈 오는 밤

화롯불도 꺼져버린 늦은 밤

자청비 이야기로 말똥말똥 우리 자매

눈 속 헤쳐 눌 속에서 꺼내온 고구마 세 개

썩은 귀퉁이 도려내고

두 개는 껍질 벗겨 생으로 먹고

한 개는 얇게 썰어 호롱불 뚜껑에 올려놓으면

노랗게 노랗게 겨울밤이 익어갔었지

먼나무

내 앞에 서서

이게 뭔 나무요

같은 시시껄렁한 이야기는 집어치우시고요

내 이름에 대해 여러 썰이 있긴 하지만

나는 멋나무라는 의미가 맘에 든다오

그건 내 수형을 한 번이라도 본이라면

고개를 끄덕일 수밖에 없을 거요

나에 대한 평가가 엇갈리기도 한다오
F는 열매가 고와서 크리스마스 장식하면 좋겠다 하고
T는 그늘이 없어 가로수로 적당하지 않다고
야박한 말도 하죠

하지만 더 중요한 건
조류사회에선 내가 꽤 유명한 인스타 맛집이라는 거요
나의 단골손님은 직박구리죠
비수기 겨울에도 거르지 않고 찾아온다오
귀여운 동박새 단체팀도 웨이팅을 마다하지 않지요

그럼에도 난

그리운 이에게 소식을 이어주는 우체통이고 싶소

누군가에게 용기를 주는 일이라면

기꺼이 사랑의 열매라고 해도 좋겠소

나는 먼나무요

하지만 나는 언제나 당신 곁에 있다오

가을에

커피집 창가에

겨울 햇살에 붉게 빛나며

아슬아슬 흔들거리는 벚나무잎을 보고 있으면

돌아올 수 없는 청춘의 유서를 받은듯해서

건너 자리 한 무리 여인들의 수다에도

귀를 열게 한다

봄날을 회상하는 무의미한 날이 많아지고
아무도 방문하지 않은 블로그에
새로울 것도 없는 일상 사진을 간간이 올린다
전화번호부에 있는 만남도 뜸한 지인들에
인도 스승의 말씀을 올리는 것이 낙이 되었다는
여자의 이야기

뽀얀 살결

누구라도 마음만 먹으면

연분홍으로 물들게 했던 눈웃음

청바지가 잘 어울린다며 만남을 요청하던 사내들의

희롱을 쌀쌀맞게 즐기던 시절은

이제 책장 구석으로 밀려나 먼지가 쌓인

사진첩에서나 기억된다는

젊은 사내 앞에서 한 번 더 설레고 싶다는 마음에
귀공자를 닮은 가수들의 열성 팬 활동을 하고
십 대 소녀마냥 일주일 생활비를 포카에 뿌려도
아깝지 않았다는 끝 모를 이야기로 벚꽃들이 터진다
여인들이 웃는다
나도 아닌 듯 웃는다

참 많은 날 흔들렸지
대롱대롱 매달려
하루하루 썼다 지웠다를 반복하며

벚나무 잎을 주워 천천히 본다
풍파에 맞섰던 날 선 결각과
정연한 잎맥의 선은 세밀화처럼이나 솔직하다

빨간색에 검은 점이 박힌 잎

노르스름하게 물든 잎

구멍이 뚫린 잎

아직 푸른 잎

성한 잎

들이

다

추신:

참 많이 애썼구나   넌 참 고운 단풍이란다.

12월은

12월은 애기동백이 피는 계절

붉어도 될까요?
내 유전자는 붉은 동백이어요
죄 많은 조상을 두었다는 뜻이죠
착해빠진 부모를 가졌다는 뜻이죠
가끔 붉은 피를 못 견뎌 물타기를 해보고
흰 것을 섞어 분홍으로 치장을 해보기도 했지요

피어나도 될까요?

학교 가는 길에 폭낭 그늘에 모여앉은 할망들

자이가 가이라?

기주게 아인 요망 진디 이

나는 안개가 자욱한 날이 좋았어요

안개 속에 웅크려 숨으면 누구도 나를 입에 올리지

못하니까요

웃어도 될까요?

내가 웃으면 철도 어시

내가 울면 복도 어시

고전무용 시간에 선생님이 나를 보고 로봇같이 춘대요

아무리 거울을 봐도 틀린 동작이 없었는데 말이죠

올해도

애기동백이 피어납니다

아파트에도 공원에도 거리에도

붉게 붉게 피어납니다.

나풀나풀 춤사위 가볍게 날아갑니다.

자지러지는 웃음이 눈 속에서도 아랑곳없이 번집니다

매화

매운 눈이 오는 날
매화는 푸른 깃대를 꽂고 출격을 준비합니다
몽글몽글 피어나는 어린 전사들
칼바람 소리에 움찔거리면
괜찮다 괜찮다 다독이면서

살얼음 길 아슬아슬 걸으면서도
칼자루 다시 한번 쥐어 잡으며
고된 행군을 멈추지 않습니다
겨울 가면 으레 봄이 온다지만
긴 겨울 버틸 힘은
봄의 여신이 곧 당도하시리라는 확약의 전서

겨울이 깊어갈수록 매화의 도모는 더 왕성할 것입니다
개선문을 열어젖히고 당도할 그 날을 위해
축포를 준비해주십시오
무수히 날아오는 화살에
날개가 찢겨도 무릎이 꺾여도 굽히지 않을
매화의 항전을 기억해 주십시오

팔 벌려 눈을 맞습니다
첫 봄날에
매화꽃 몇 송이 띄워
승전의 무용담에 녹아들 그 아침을 꿈꿉니다.

관음사 은행나무

관음사 절집 마당엔

늙은 은행나무가 있지

네가 부처네 네가 부쳐여

은행 열매를 줍던 노인의 말처럼

부처 없는 세상을 구원한다는' 지장보살이 되셨을까

무거운 이승의 인연으로 날아오르지 못하고

떠날 수 없는 가여운 영혼을 어깨에 앉혀

하늘 수 한 모금 목축여주며

기다린다

가만히 있어라. 착한 아이야

어른 갈 때 아이 가고

아이 갈 때 어른 간다

몰 죽은 밭에 들던 두령청한 까마귀

까옥대지 못하게 다가오지 못하게

연수목을 휘두른다

신들의 일에 관여하지 말라는 강님이의 일침에도 미

동하지 않는다

영험함은 소문도 빠르다지
합격기원 사업번창 무병장수 로또 당첨
허리춤을 잡고 흔드는 중생의 갈망
새음창 없이 오만가지 기도를 담은 오색연등이
부푼 풍선처럼 터질듯하면
옛다 돈이다 진동내나 맡아라
은행 열매 후두두 떨어뜨려 주고는

한 줄기 바람에도 나비 되어 날아오를 수 있게
돌무더기로 쌓인 설움 내려놓고
종이비행기 접어 날리듯
삶도 가볍게 죽음도 가볍게
한 번씩 어깨뼈 흔들며
천도재를 지낸다.
가만히 있지 않아도 된단다 착하지 않아도 된단다
스스로 날아올라라. 힘차게 건너거라
이승의 문턱도 저승의 문턱도

관음사 절집 마당엔
늙은 은행나무가 산다.
솔바람 담은 풍경소리에
너울너울 춤추는 금동부처가 산다

별도봉 풍경

별도봉을 걷는다 하니
친구가 농을 한다
니 팔자가 상팔자여

아무렴 비탈에 핀 감국일수록 운치가 있는 법이지

산길 가 고온빛깔 자랑하던 벚나무 단풍
가까이 다가가니 먹히고 뜯기고 뚫린 잎이
대롱대롱 매달려
바람의 처분을 기다리고 있다

바다에서 등대는 생사의 수신호
오른쪽 왼쪽 그 쉬운 길도 한끝 절명의 고비일 테지만
산에서 내려다보는
빨갛고 흰 등대는 하늘 바다와 색 대비도 좋아
셔터만 눌러도 그림이 되지!

별도봉에선 자살 바위 오르막이 최고 절경이다
멀리서도 가까이서도
노을만이 이 비밀을 아는지
파헤쳐진 바다 웅덩이에 내려앉아
절벽에 매달린 칡넝쿨들을 바라본다

사람들이 별도봉을 걷는다
상팔자인 사람들이 걷고 또 걷는다.

나무의 소리

바람부는 날엔

나무들의 소리를 들어보아라

무림고수들이 휘두르는 천지의 소리를 들어보아라

바람이 불면

나무들은 아무도 모르게 검무를 익히지

큰바람이 불수록 쌓이는 내공

바람과 맞설 힘은

그동안 연마한 무예에서 나온다네

상록수는 상록수대로

활엽수는 활엽수대로

교목은 교목만큼

관목은 관목만큼

칼과 활과 방패를 다루는 법을 익힌다.

바람이 불면

영특한 관목은 바싹 웅크려 바람과 맞서지 않는다

교목은 제 성질만큼 시끄럽다.

유난히 시끄러운 건 활엽수다. 실력에 비해 급한 성

질 탓으로 제 몸에 상흔을 남긴다.

단풍나무처럼 강물 흐르듯 바람과 함께

흐르는 나무도 있다

내공의 고수는
단연 대나무와 소나무다
대 숲에서 불어온 칼의 소리는 예무의 경지
음악과 함께 춤을 추는 기녀처럼 혼을 뺀다.

소나무의 칼 소리는 머리칼을 쭈뼛 서게 한다
보이지 않았는데 목이 달아난다는 전설의 검객처럼
바람을 가르는 활의 소리와 검의 소리 앞에서는
단단하고 두꺼운 가면도 열리고 만다

바람 부는 날엔

나무들의 소리를 들어보아라

무림고수들이 휘두르는 천지의 소리를 들어보아라

털머위

이만하면 되었다 할 삶이 어디 그리 많을까요?

여름에 꽃을 피웠다면
아무도 나에게 시선을 주지 않았겠지요
자타 곱다는 꽃나무들은 죄다 떠나버린 계절
그리 큰 뜻으로 한 일은 아니어도
도시의 추운 사람들에게
반딧불이 정도의 따스함이라도 줄 수 있다면 좋겠어요

나를 뚝뚝 꺾어

검은 뚝배기 그릇에 담아 바라보아도

아직 낭만을 버리지 못하는

이름 없는 시인에게

시구 하나 선물할 수 있다면

더할 나위 없이 좋을 거고요

주인공이 아니면 뭐 어때요
가로수 밑동에 기대어 서로의 발바닥을 간지럽히고
돌 틈 사이 사이에서 낮은 그것끼리 어깨의 비듬을
털어 주는 일들로
한 번 웃을 수 있다면 좋아요

이만하면 좋지요

달팽이의 노래

나는 달팽이야

느림보 달팽이지.

친구들이 저만큼 빨리 달려가는 모습이 부러울 때도 많았지만 느린 나도 맘에 들어

한 발자국 한 발자국 내 길을 만들어 가는 게 좋아 늦게 이룬 것이 덜 소중한 것은 아닐 테니 말이야.

난 봄 숲에 살랑이는 찹쌀떡 같은 바람과 노는 것을 좋아해. 그럴 땐 나도 모르게 눈이 풀려 벌러덩 드러 눕기도 하는데 그 순간이 제일 행복해

파란 하늘을 올려다보며 바람에 실려 오는 작은 꽃들의 향기를 맡고 있으면 왈칵 눈물이 나기도 해. 왜냐면 그네들이 시린 땅을 뚫고 올라왔을 지난 시간을 나도 알고 있기 때문이지.

상처 없는 영혼이 어디 있으려 하는 노랫말처럼 아무리 작아도 고통 없이 피는 꽃은 없는 법이니 말이야. 그러니 숲길에서 작은 꽃을 만나면 잠시 서서 눈인사 정도는 건네주길 바라

꿈을 안고 안간힘으로 달려가더라도 한 번씩 멈춰서 고발 아래를 살피는 것도 좋을 거야. 그래야 내가 어디에 있는지 내 옆에는 누가 있는지 알게 될 테니

또 어쩌다가는 방향을 바꿔 달리는 것도 나쁘지 않아. 지금껏 걸어온 길보다 더 멋진 길은 너무도 많을 테니. 설령 내가 걸어온 길이 최고라 할지라도.

나는 달팽이야

느림보 달팽이지. 내 걸음은 느리지만 오늘도 내 삶의 숲을 걷는다네

스킨답서스

스킨답서스를 집안에 들인지 몇 년이 된다.
무정함을 무기 삼아 성장에 거침이 없다
웬만한 환경적 악재에는 눈도 꿈적하지 않는다
정신없는 주인이 제 일에 빠져
한 달여 간 돌보지 못해
이제는 어렵겠네 하며 물 한 모금 부어주면
탈진상태의 몸을 일으켜 파릇파릇 웃는다

내려서는 데에도 저어함이 없는 줄기를
화분 안으로 구겨 넣어도 넉살 좋게 손 내밀며
나를 상처입힐 수 있는 건 나밖에 없소 하는 표정으
로 손을 흔든다
잠시 한눈팔면 거침없이 안녕을 외치고 떠나버리는
다른 화초와 달리 어쩌다 봐도 싱그럽게 맞이해주니
오래된 벗인 양 그저 편하다.

한 며칠 날씨 춥다고 바람 한번 쐐주지 못한 게
안쓰러워 물 적신 수건으로 닦아주려 잎을 잡아본다
심장 꼴의 잎 아래로 늘어선 줄기에는 대나무처럼 마
디가 그어져 있다. 그 마디마다 번뇌의 흔적인 양 공
중 뿌리가 나와 있다

나아갈까?
멈춰설까?
한 걸음 옮길 때마다 고민했을

우리도 그대처럼

하엽지는 법을

내려서는 법을 배웠다면

조금 덜 아팠을 테지

내려서는 법이 여전히 서툰 나는

진정한 푸름 앞에서 가만히 귀만 열었다네

천국의 계단과 악마의 등뼈

천국의 계단이라고 불리는 식물이 있다. 줄기가 지그재그로 뻗어가는 모습이 마치 하늘로 올라가는 계단처럼 보여서다, 붉은 구름을 감싸고 있는 용을 닮았다 하여 화운용이라도 부른다. 꽃말은 축하와 축복이다. 이런 스토리텔링 덕분인지 영전, 승진용 선물로 인기가 높다.

줄기에 마디가 있고 푸르게 자라 청운죽, 붉고 푸른 여러 빛깔을 가지고 있어서 오색대나무라고도 한다. 여기서 그치지 않는다. 대운용, 야곱의 사다리, 악마의 등뼈 등 아주 많은 이름을 가졌다. 그만큼 많은 사람의 호기심을 끌 만한 매력을 가진 식물이다.

이 식물의 본명은 '페디란투스 쿠쿨라투수'다. 이 식물을 처음 보았을 때 자연주의 의상을 만들던 분의 집에서다. 그때 천국의 계단이라는 이름을 처음 듣게

된 것이다. 집 안에 식물들을 나눠주고 계셔서 나는 천국의 계단을 한 줄기 주실 수 없는지 물었었다. 넓고 큰 화분에 수경 재배를 하고 있었는데 화분 가득히 신비한 색을 가진 이 식물이 신기해서 키워보고 싶었다. "다른 것은 다 줄 수 있는데 이것만은 어려워요" 하셨다. 그 후 꽃을 가꾸시는 지인도 이 식물을 가지고 계시길래 얻고 싶다고 했더니 딱 한 가지 잘라주셨다. 그만큼 귀한 식물이구나 싶었다.

어느 날 내가 천국의 계단에 관심이 있다는 것을 안 친구가 화원에 있더라며 분 하나를 선물로 가져왔다. 이상하게도 쑥쑥 잘 자란다. 친구가 자신은 성공하지 못했다 하기에 나눠주려고 줄기를 잘랐다. 한 가지만 빼고 나머지 가지들을 다 잘랐다.

재미있는 일이 일어났다. 잘라서 물병에 담아둔 녀석은 뿌리가 생겼고, 화분 안의 녀석은 분화성장을 했다. 이 녀석의 생장점은 계단 같은 마디에 있었던 거였다. 자르면 자를수록 줄기가 생기는 특성을 보인 것이다. 먼저 이 식물을 키우셨던 분들도 이 사실을 알았다면 인심 가득 여러 가지를 내어주었을지 모른다.

나눔이란 그런 것일 거다. 내어주는 자리에 새순이 돋아 분화되는 것, 그래서 나눠준 이에게 더 큰 복이 돌아오는 것. 영전을 받고, 승진했을 때 위로, 위로만 오를 것이 아니라 나의 것을 흔쾌히 잘라 기꺼이 내어줄 때 더 높은 곳에 다다르는 것. 그래서 천국과 같은 평온한 곳에 도달하는 것. 천국의 계단이라는 이름과 함께 악마의 등뼈라는 상반된 이름을 가졌다는 것이 의미심장하다.

박수기정 순례

언제인가 대평리에 있는 박수기정 아래를 혼자 걸었던 기억이 있다. 걸었다기보다 집채만 한 바위를 오르고 내리는 일이다. 미친 짓이었다. 물론 초행길은 아니었다. 초행길이라면 결코 갈 수 없는 일이므로. 걷는 내내 기도를 했다. "착하게 살겠다고" 우습지만 그래야 무사히 나를 건네줄 것 같았다.

미친 짓, 내 가족이 그 사실과 그 상황을 알았다면 가기 전에 죽었을 만큼 무모한 짓이었다. 하지만 꼭 한번은 혼자서 건너보고 싶었다. 화순 화력발전소 쪽에서 대평 포구 방향으로 바닷길을 잡았다. 맥주 한 캔을 가방에 넣고.

나의 그녀 자청비를 생각했다. 모험심과 당당함이 필요할 때 떠올리게 되는 이름, 고통이 쉬운 것은 아니지만 겪어볼 만한 가치는 충분히 있다고 말해주는 그

녀. 나의 어머니의 어머니, 그 어머니의 어머니.

흔들리던 시절이었다. 거미줄처럼 사방으로 뻗어 나간 욕망의 줄에 아슬아슬 매달려 있던. 감사함을 모르던 어리석은 시절이었다. 어쩌면 그런 나에게 스스로 주는 경고장 같은 것이었는지도 모른다.

저승 목, 바닷길 중간쯤에 저승목이 있다. 저승으로 가는 길목이라는 뜻을 가진 바위가 가로막는다. 그 바위 아래에 있으면 돌아가라는, 더 이상 다가오지 말라는 목소리가 들린다. 깊고 웅장한 저음의 바닷소리

저승목은 바위 속 동굴이다. 바위와 바위 틈새 두어 평 정도의 공간이 있다. 그 공간을 통해 가로막힌 곳을 통과하는 유일한 길인 셈이다. 지난 탐사 때와 또

다르게 통로지형이 변해 있다. 없던 밧줄이 있는 거로 보아서 나와 같은 탐험인이 걸어둔 것이겠으나 저승목 문턱이 더 높아져 위험도가 상향되었음을 말하고 있었다.

대평리 사람들은 이곳을 '마궁굴'이라고 부른다. 막혀있는 굴이라는 의미다. 마궁굴에서 어로작업을 하던 어부와 해녀들이 밥을 먹거나 휴식을 취했던 곳이라 한다. 마을 사람들이 전하는 이야기로는 밥을 먹을 때는 반드시 제석할망(농경신)을 위해 케우리지(음식 일부를 던지는 행위)를 해야 했고, 그렇지 않을 경우 몸이 아프다는 이야기도 전해오는 곳이다,

저승목을 통과하면 그나마 안심이다. 물론 아직 기도를 멈출 수는 없다. 두려움과 공포를 이겨낸 나를 위한 자축으로 바위에 앉아 맥주캔을 열고, 박수기정

머리 위로 흘러가는 구름을 보고 있으면 나를 살게 해주는 보이지 않는 힘에 대한 감사함을 드리게 된다.

대평포구를 향해 바위를 오르고 내리다 보면 박수 물이라는 샘이 나온다. 사시사철 끊이지 않고 흐르는 물이다. 그 물로 손을 씻고 목을 축인다. 나의 부정한 것들을 씻어내는 의례를 한다. 그러면 마치 나에게 화답이나 하는 것처럼 물방울에서 만들어진 무지개를 보게 해준다. 아무렴 나도 곱고말고, 아주 고와도 되는 사람이지.

'당케'라고 부르는 대평 포구에 다다랐어도 나의 순례는 끝나지 않는다. 이제 박수기정 올레길을 걸어서 출발점으로 돌아가야 한다. 어느 순간 내가 아닌 것처럼 굴었어도 다시 나의 자리로 가야지. 돌아가는 길이 지루하고 버거울지라도.

그래도 괜찮다. 이제 따스한 솔숲의 바람이 나의 벗
이 되어 줄 테니.

가까이 가도 될까요?

만져봐도 되나요?

여름 태양 아래 배롱나무꽃이 분홍색 꽃구름처럼 곱다. 마치 원피스를 입은 젊은이의 모습처럼 생동감 넘치는 아름다움을 보여준다. 유혹에 끌리듯 다가설 수밖에 없다. 가까이 가면 얇은 레이스조각 같은 꽃잎들이 나풀거린다. 그 꽃잎들 사이로 수술과 암술이 농밀하게 엉켜있다. 멀리서도 가까이서도 뿌리칠 수 없는 매력을 담뿍 가지고 있는 나무다.

배롱나무의 줄기는 껍질이 얇게 벗겨져 맨살이 드러나 있는 것처럼 보여 저절로 배롱나무의 줄기를 간지럽히게 된다. 이때 배롱나무는 내 손길에 반응하며 자지러지는 웃음을 파란 하늘로 퍼트린다. 배롱나무의 특성 중 줄기를 건드리면 가지들이 흔들거리기 때문이다. 사랑스러운 나무. 더 가까이 다가가고 싶은 나무다.

여기까지는 배롱나무에 대한 나의 생각이다. 하지만 배롱나무도 나와 생각이 같았을지는 물어보지 못했다. 그렇지 않을 거다. 살아있는 생명체는 낯선 것이 자신에게 다가올 때 위협을 느끼니까 말이다. 친밀하다고 느끼는 것은 이쪽이고 상대는 '아직'이지 않을까

가까이 가도 될까요?
만져봐도 되나요?
물어봐야지.

삼양 바다

맨발 걷기 유행을 틈타 나도 맨발로 삼양 바다를 걸어본다. 맨발 걷기가 건강에 이롭다는 말들을 하지만 도시에서 맨발로 걷기가 그리 쉬운가. 삼양 바다와 그리 멀지 않는 곳에 살아도 자주 찾는 게 쉽지만은 않다. 여유가 없는 탓일 테지.

삼양 바다의 모래는 검다. 검은 모래가 몸에 좋다 하여 예부터 모래찜질로 유명하다. 그래서인지 제주 사람뿐만 아니라 여행자들도 삼양 바다에서 맨발 걷기를 한다. 유병자 집단에서 효과를 보았다는 정보가 알려지면서 너도나도 찾고 있다.

삼양 바다는 예쁘다. 한낮의 햇살에 반짝이는 윤슬을 보고 있으면 세상의 욕심이 하찮다는 것을 생각하게 한다. 서핑을 즐기는 이들의 건강한 모습까지 풍경으로 더해지면 최고급 휴양지의 주인공인 양 입꼬리가 올라가고 고개가 젖혀진다.

저녁놀도 곱다. 그래서 저녁마다 노을을 배경으로 결혼사진 촬영을 하는 예비 신랑·신부의 애정 장면을 구경할 수 있다. 많은 사람이 보고 있어도 개의치 않고 추억을 만들어 가는 젊음이 그저 부러울 뿐.

삼양 바다는 새끼고양이 같다. 어떤 날은 부드러운 털로 비벼대며 야옹거리다가도 어떤 날은 느닷없이 펀치를 날린다. 친해 보려 하면 저만큼 달아나고, 멀리하려 하면 어느새 다가와 있다.

삼양 바다의 파도는 허락도 없이 내 안의 외로움을 가지고 논다. '이게 뭐 대수라고' 하찮게 던져버렸다가 어느덧 다가와서 낚아채 떠나버린다.
삼양바다, 너도 걸어볼래?

때로는 허탕도

몇 년 전 초등생 아이들과 '시인과 농부'라는 프로그램을 진행했다. 상추와 가지와 오이, 깻잎 등을 심어서 텃밭을 만들어 어린 농부들과 가족들은 성심껏 텃밭을 가꾸었다. 남은 땅에는 교사들끼리 옥수수 모종을 심었다. 세보지 않았지만 500개쯤 되지 않았을까. 쫀득한 옥수수를 먹을 수 있다는 생각에 밭을 정리하며 신나게 줄을 맞추며 농부 흉내를 냈다.

프로그램 날이 아니어도 자주 밭에 들르는 꼬마 농부가 있었다. 그 모습이 하도 예뻐 옥수수가 자라고 있는 밭고랑 하나 더 주며 잘 가꾸어 보라 했다. 이 꼬마 농부는 열심히 옥수수밭을 가꾸었다.

싱그럽게 쑥쑥 자라는 옥수수밭을 보면 마음이 풍족했다. 그런데 이상하게도 옥수숫대 키가 크는데도 옆구리에 옥수수를 맺는 모습을 보지 못했다. 몇 날을

눈여겨보아도 어느 옥수숫대에도 옥수수는 없었다. 뭔가 잘못되었다는 것을 느꼈다. 꼬마 농부도 프로그램이 끝난 후로는 옥수수밭을 찾지 않았다. 어쩌면 우리보다 이미 알아차렸는지도 모른다. 꼬마 농부를 속인 꼴이 되어서 마음이 쓰였지만 달리 방법이 없었다.

옥수수라고 알았던 옥수수는 옆구리 대신 머리 꼭대기에 우람한 꽃을 피웠다. 곧이어 그 꽃은 붉은 열매로 변했다. 옥수수라고 믿었던 녀석은 사실 사탕수수였던 거다. 사탕수수라는 것을 알아챘을 때는 이미 사탕수수로 사용할 수 없을 만큼 자라버린 뒤라 가을 풍경 사진이나 건지자 맘먹었다. 1년 농사 허탕이라더니 딱 그 꼴이다. 농사를 업으로 삼았다면 꽤 아픈

경험이 아닌가. 다행히 전업이 아니라 다른 가치로 만족을 대처할 수 있었다. 옥수수 맛은 보지 못했지만 기다리는 시간이 쫀득했고 수숫대가 푸르게 올라왔을 때 어디서도 못 본 아름다운 풍경을 누렸다. 그것이면 되었다.

살다 보면 허탕 치는 때가 어디 한두 번일까? 해마다 넣는 이력서며, 보조금 신청도 그렇다. 많은 일이 허탕인 줄 알면서도 해야 하는 게 생활이다. 허탕을 두려워하면 그 어떤 일도 할 수 없다는 것을 몸으로 겪었다. 얻어질 열매만을 생각해서 취사선택하면 열매도 줄어들지만, 허탕이 주는 배움도 아름다움도 놓치게 된다.

나는 여전히 여러 곳에서 허탕을 친다. 허탕을 치면 그 자리에서 잠시 쉬는 거지. 하늘 한 번 올려다보며.

어떤 울타리가 좋아?

중학교 때다. 가정시간에 설계도 기호 같은 것을 배운 후였던 걸로 기억한다. 짝이랑 미래에 살고 싶은 집을 그려보기로 했다. 나는 편리성을 추구해서 집 안에 화장실을 넣는 그림을 그렸다. 당시에는 일반 가정집에는 화장실이 집안에 두지 않던 때라 친구는 내가 장난으로 한다며 화를 냈었다. 나는 장난으로 그린 게 아니라 밤에 화장실 가는 게 너무 싫었기 때문에 외국처럼 화장실을 집 안에 두고 싶었다. 사실 내가 진심으로 정성을 들였던 것은 울타리였다.

하얗고 낮은 나무가 집안을 빙 둘러 있고 빨간 장미 넝쿨이 올려진 울타리가 내가 꿈꾸는 집의 모습이었다. 지금은 전원주택에 하얀 나무울타리를 두르는 게 꽤 흔하지만 당시는 그런 모습은 만화나 영화에서나 나오는 장면이었다. 친구는 내 울타리도 맘에 들어 하지 않았다. 울타리라고 하면 자고로 높고 튼튼해야 한다고 여기고 있었다. 당시 부잣집들은 크고 높은 담장을 두르고 있었기 때문이다.

나는 부자들의 커다란 성 같은 담장이 싫었다. 왜 그 래야 하는지 알지 못했다. 장미 넝쿨이 올려진 하얀 울타리를 갖추기 어렵다면 옛날 싸리꽃 울타리도 좋 지 했었다. 어릴 때부터 소박했으니 지금도 소박한 삶인 건가 보다. 그때 커다란 성 같은 걸 꿈꾸었으면 내 인생이 달라졌으려나.

하지만 생각해보면 그 시절 나는 따뜻하고 화사한 울 타리가 필요했다. 당시 우리 집 상황은 아버지가 병 을 앓고 계셔서 집 안 공기가 우울하고 답답했기 때 문이다. 울타리는 집을 둘러싸고 있는 물리적 안전장 치다. 그래서 울타리는 나와 가족을 보호하는 상징성 을 지녔다. 울타리가 안전해야 심리적 정서적 안정감을 취할 수 있으니.

이제는 내가 울타리의 위치에 있다. 가족의 보호자로
나의 기분과 상황에 따라 집안 공기가 달라지기도 한
다. 여전히 나는 높고 튼튼한 울타리는 되지 못하고
있다. 가족들에게 나는 어떤 울타리일까? 썩은 나무
울타리는 아니길 바라본다. 싸리꽃 울타리라고 여겨
준다면 좋으련만

에 필 로 그

시시한 이야기를 두서없이 풀었다. 정리하고 보니 순서도 주제도 없다. 독자에 대한 배려가 전혀 없는 지나치게 소소한 건방진 글쓰기 군.

제목을 보고, 시시하고 소소한 이야기라지만 그래도 혹시나 했던 독자라면 '역시나 낚였군. 괜히 시간을 허비했어'라는 억울함이 들지도 모르겠다. 용서하시라.

시시한 이야기도 수눌음하니 언젠가 당신의 소도리를 전해준다면 나도 기꺼이 들어 드리리다.

부족한 글을 발간하게 힘써 주신 고영희 작가님과 봄꽃처럼 회원분들께 감사를 전한다.